W9-AZT-120

PHOTOGRAPHIES
YANN ARTHUS-BERTRAND

PARIS VU DU CIEL

Vue sur...

CHÊNE

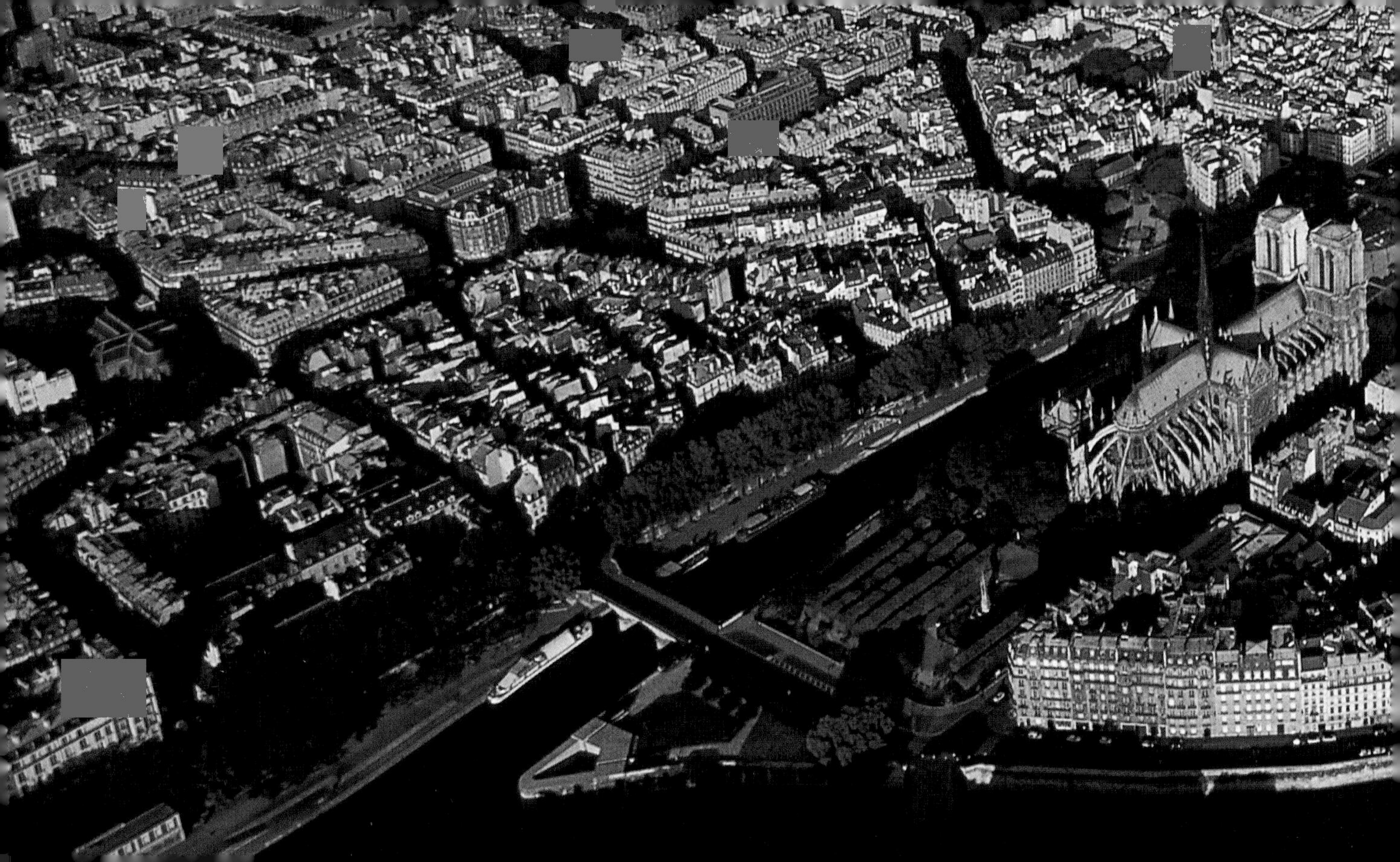

INTRODUCTION

Paris, bien que remodelé considérablement par les larges percées et les constructions d'immeubles effectuées par le préfet Haussmann au milieu du XIXe siècle, a gardé sa configuration particulière qui rappelle son développement concentrique de part et d'autre de la Seine : le fleuve cerne l'île Saint-Louis reliée à l'île de la Cité, noyau initial de la capitale. La ville historique s'est enrichie d'un Paris moderne, remodelé par les Grands Travaux. Les photographies de Yann Arthus-Bertrand, prises d'hélicoptère, nous invitent à une nouvelle vision : Paris est aussi un paysage, fait de détails et d'horizons immenses.

Paris, even though considerably reshaped by Prefect Haussmann's buildings and major breaches in the city carried out in the mid-XIXth century, has kept its specific geographical pattern based on the concentric development of the city on both sides of the Seine. The river thus encircles the two islands, the Île Saint-Louis and the Île de la Cité, the initial core of the capital.
The historical city is coupled with a modern Paris, structured around the new monuments. Yann Arthus-Bertrand's photographs taken by helicopter therefore lead us to a new perspective : Paris is also a cityscape, made of details and large horizons.

Île de la Cité, île Saint-Louis

Le vieux Paris

Old Paris

Ier, IIe, IIIe, IVe arrondissements

On trouve à Paris de nombreux édifices et monuments anciens. Mais nulle part ils ne sont concentrés comme dans ces quatre arrondissements dont l'ensemble occupe 5 % de la superficie totale de la capitale. C'est ici que Paris a pris naissance. Dans les dernières décennies, le Centre Pompidou, le nouveau quartier des Halles, la réhabilitation du Marais lui ont redonné jeunesse et vitalité.

There are many historic landmarks elsewhere in Paris, but there is no gainsaying the remarkable concentration of ancient buildings and monuments in these four arrondissements which, taken together, occupy just five percent of the total area of the capital. This is where the city was born. In recent years, projects like the Pompidou Centre and the redevelopment of Les Halles and the Marais have brought a new vitality to the area.

La place des Vosges

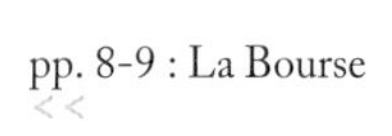

pp. 8-9 : La Bourse
< <

Les Archives nationales
<

Notre-Dame
>

p. 12 :
La Sainte-Chapelle
<

Notre-Dame
>

La tour Saint-Jacques
<

L’église
Saint-Eustache
>

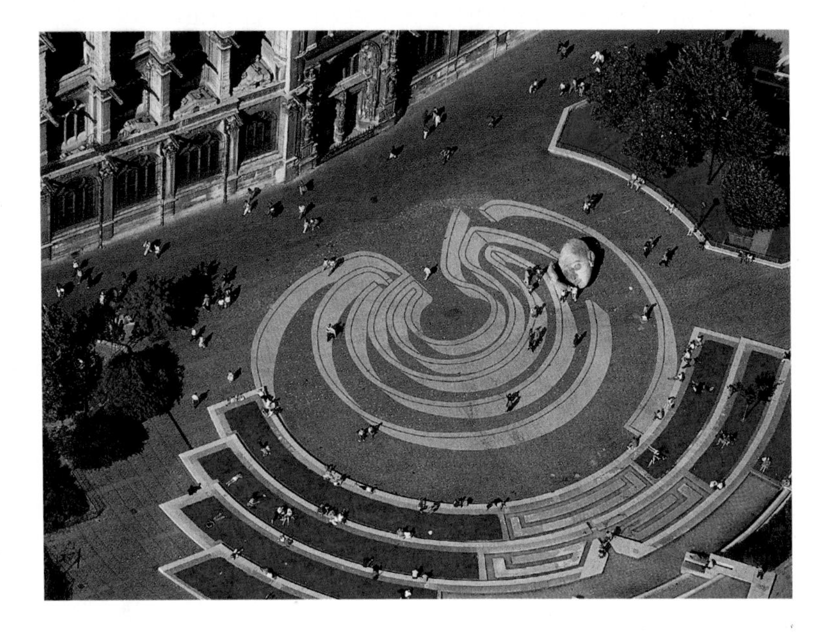

La place René-Cassin

Le Forum des Halles
>

La Bourse du commerce
(ancienne Halle aux Blés)
<

La place des Victoires
>

p. 20 : Le Centre Pompidou
>>

p. 21 : L'Hôtel de Ville
>>

BUS
BUS

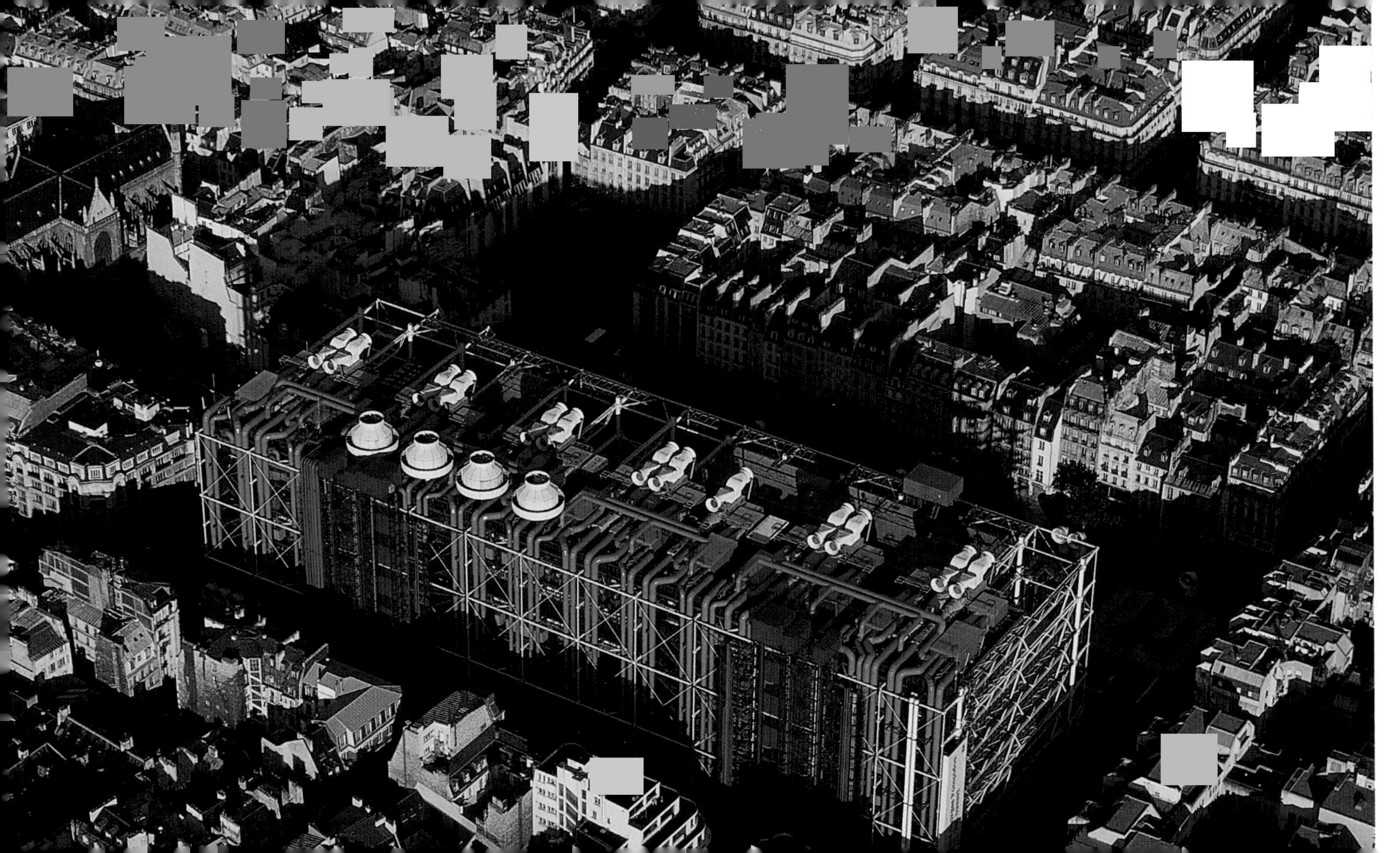

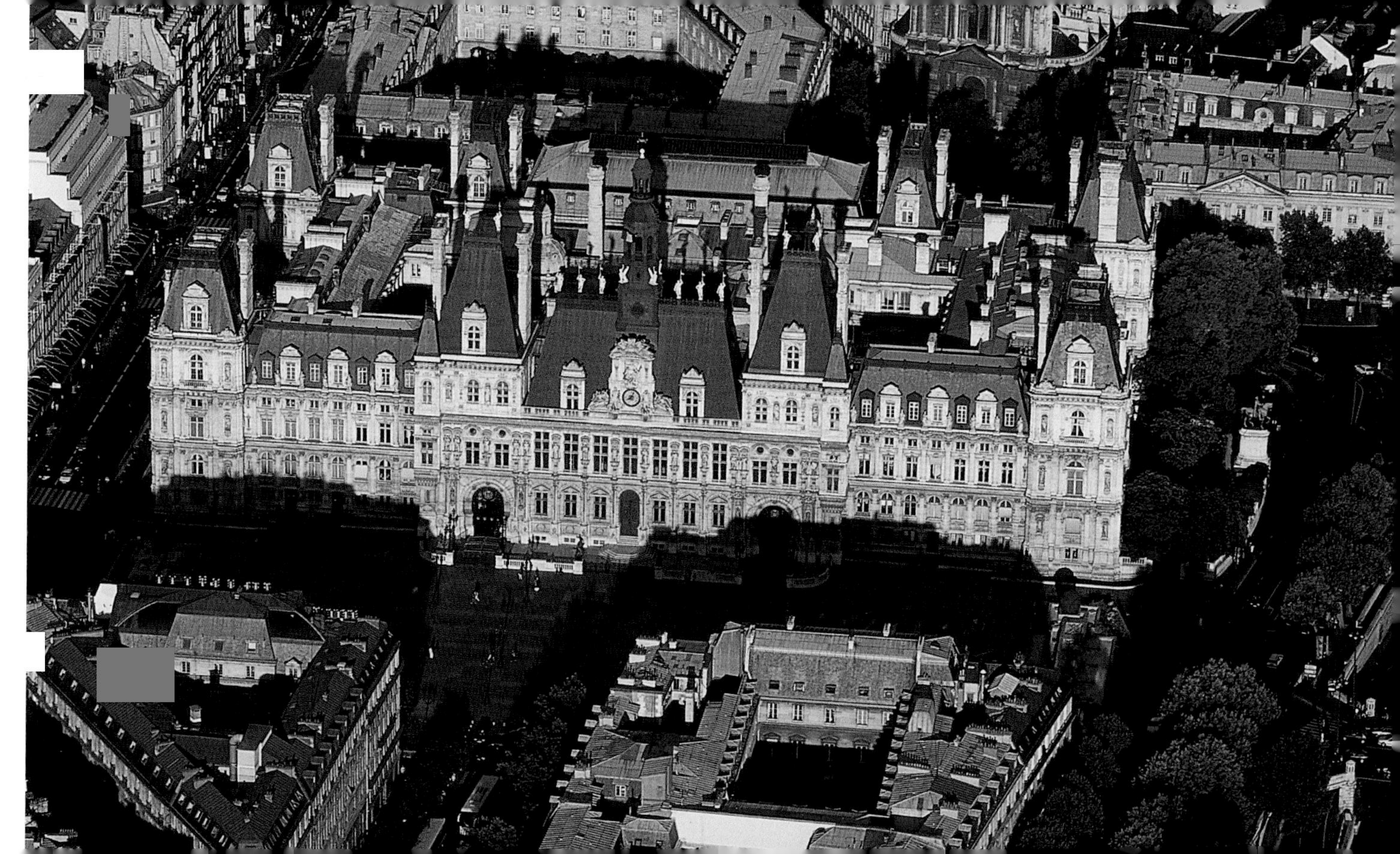

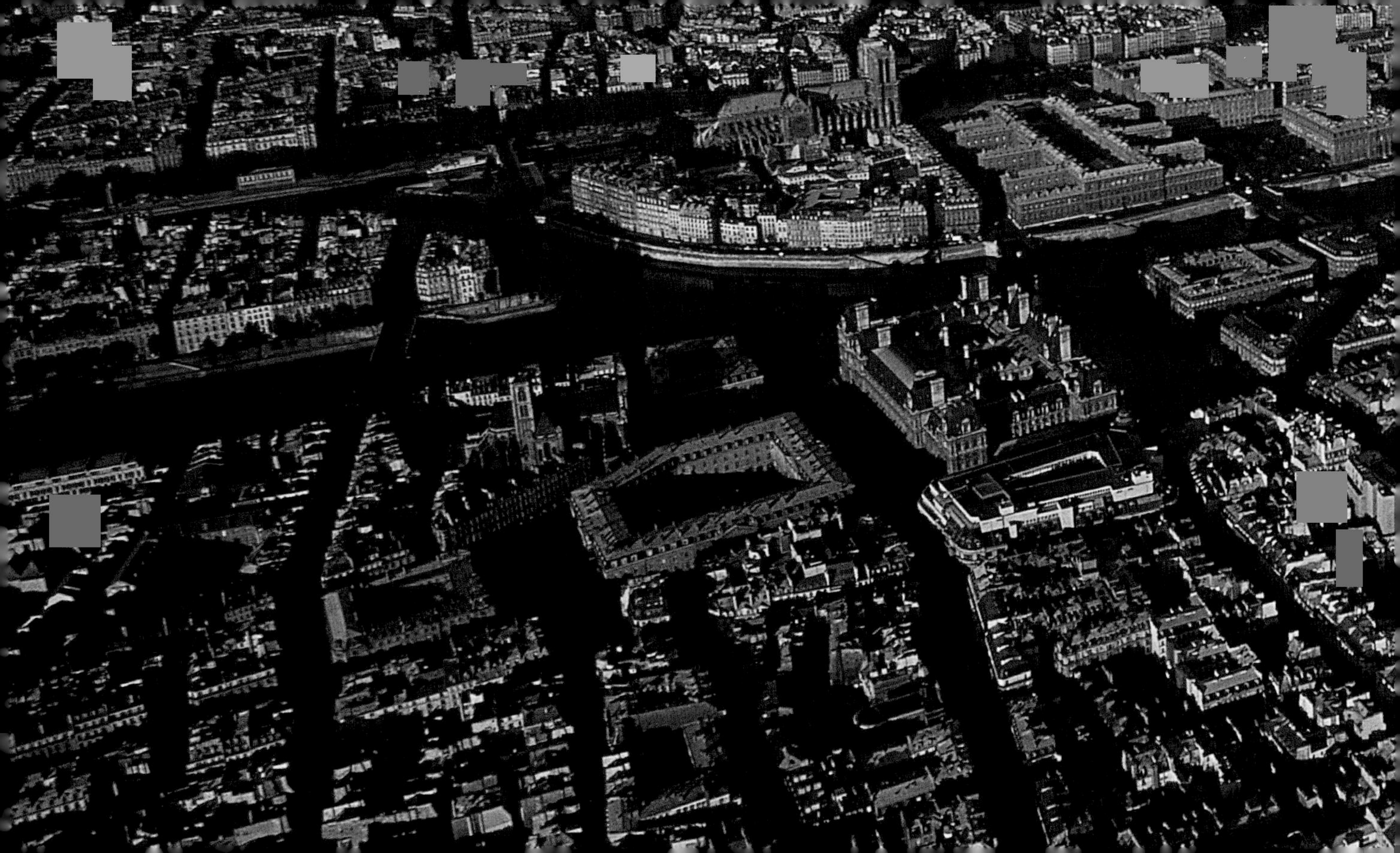

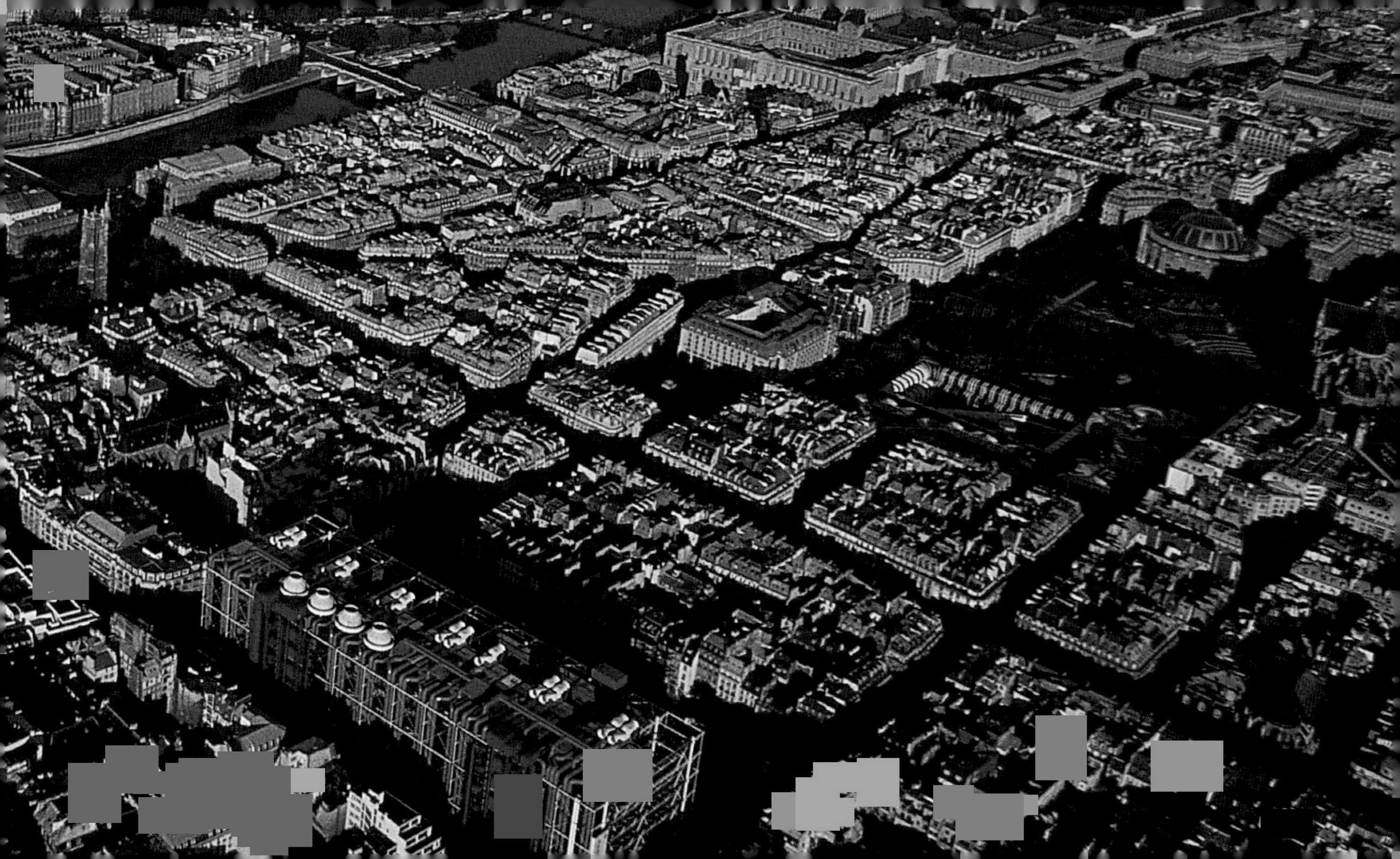

pp. 22-23 :
Rive droite, rive gauche
<<

Le Carrousel du Louvre
<

Le musée
du Jeu de Paume
>

Le Louvre
<<

L'île de la Cité
<

La pyramide
du Louvre
<

Le Louvre
>

Les colonnes
de Buren
<

Les jardins
du Palais-Royal
>

La place Vendôme

Rive gauche *Left Bank*

V^{e}, VIe, VIIe, XIIIe, XIVe, XVe arrondissements

La rive gauche de la Seine comprend des quartiers d'ancienneté et de caractère très différents. Il existe néanmoins une identité « rive gauche ». Ici siège le pouvoir législatif, Sénat et Chambre des députés ; ici, depuis la fondation de la Sorbonne, en 1253, s'apprennent le droit et la médecine, la théologie et la botanique. Ici aussi subsistent les vestiges les plus importants d'un Paris qui se nommait alors Lutèce.

The quartiers of the left bank of the Seine are characterized by enormous differences in terms of age and atmosphere. Nonetheless, the Left Bank does have a definite identity : it is the seat of legislative power, with both the Sénat and the Assemblée nationale, and also of learning since 1253, when the newly founded Sorbonne opened its doors to students of law, botany and theology. It has history stretching back to antiquity, to a time when Paris was known as Lutetia.

Saint-Germain-des-Prés

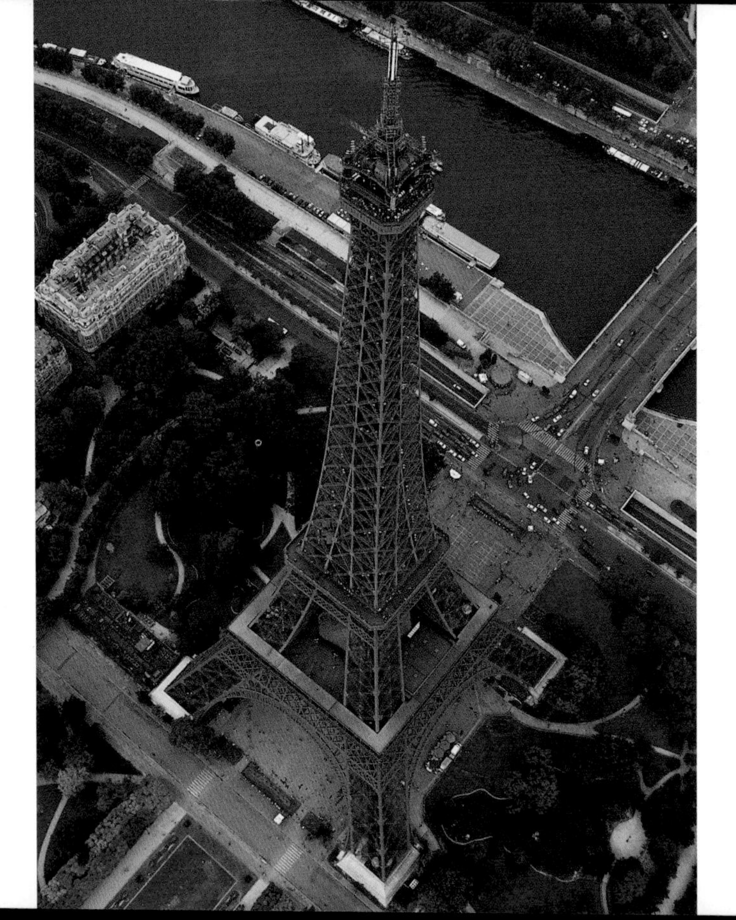

La tour Eiffel
<

Le Champ-de-Mars
>

pp. 38-39 :
Les Invalides
>>

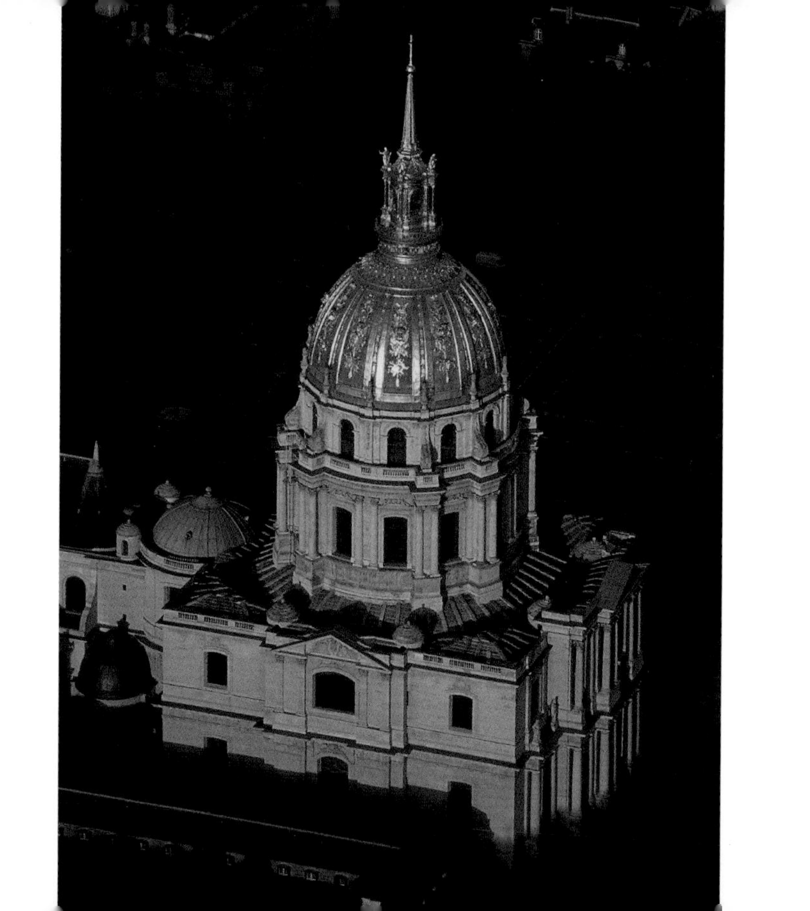

Le Val-de-Grâce,
cour intérieure
<

L'hôpital de la Pitié-
Salpêtrière
>

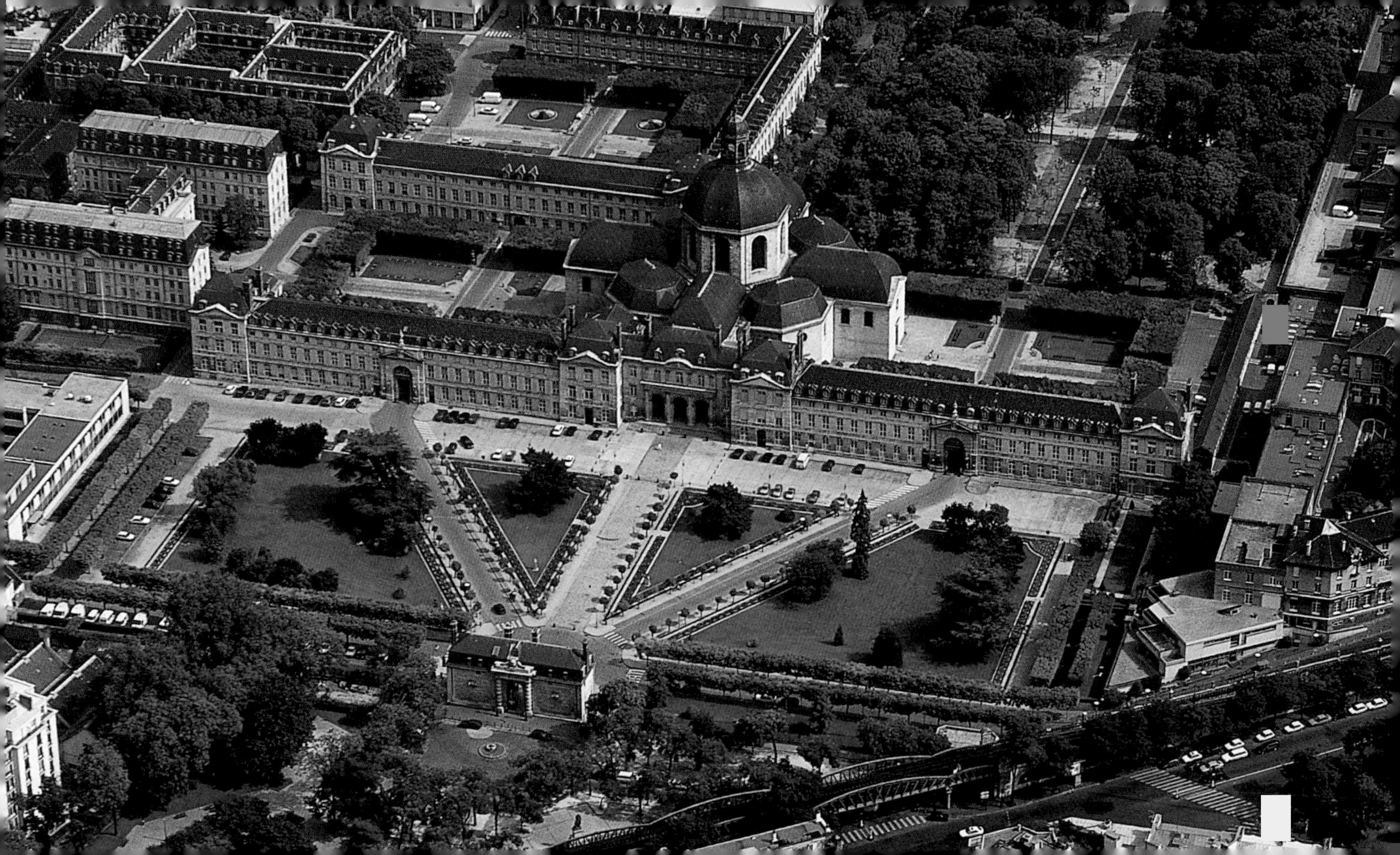

Les jardins
du Luxembourg

L'Observatoire
<

Le Panthéon
>

La Sorbonne
<<

La tour Montparnasse
<

La place Saint-Michel
>

L'église Saint-Sulpice
<

Le Palais-Bourbon,
l'Assemblée nationale
>

Le palais
de la Légion d'honneur
<

Le Museum d'histoire
naturelle au Jardin
des Plantes
>

Rive droite *Right Bank*

VIIIe, IXe, XVIe, XVIIe arrondissements

La rive droite, qui porte l'empreinte du baron Haussmann, réorganisateur de Paris entre 1853 et 1870, demeure le siège de la finance, des élégances et de la vie mondaine. Au-delà de la perspective triomphale des Champs-Élysées, elle se prolonge par le bois de Boulogne, avec ses grandes avenues, ses restaurants de luxe et ses terrains de sport.

Most of this area, moreover, bears the mark of baron Haussmann's great reorganization of the city which took place between 1853 and 1870.
To the south of the triumphal way, the Champs-Élysées, which passes throug the Arc de triomphe, it extends into the bois de Boulogne with its luxurious restaurants, sports facilities and grand avenues.

L'Arc de triomphe

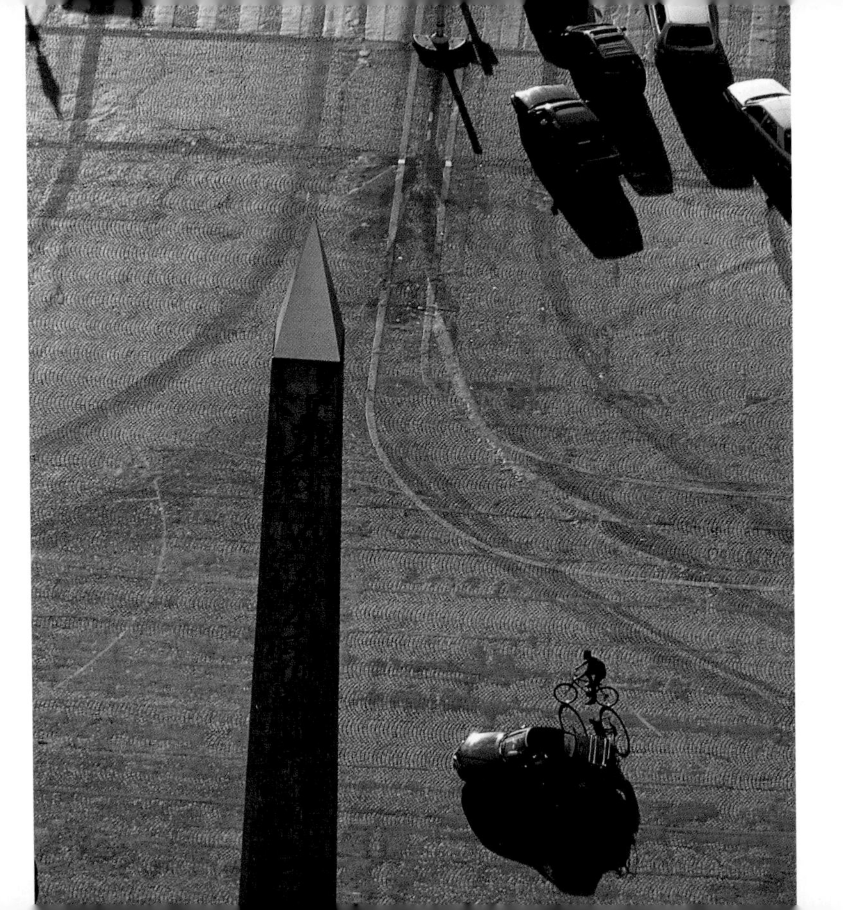

Place de la Concorde
<

L'arc de triomphe
de l'Étoile
>

Le Grand et le Petit Palais,
le pont Alexandre-III.
Au fond, l'église de
la Madeleine et le jardin
des Tuileries

Le Petit Palais
<

La verrière
du Grand Palais
>

pp. 60-61: l'église de
la Madeleine
>>

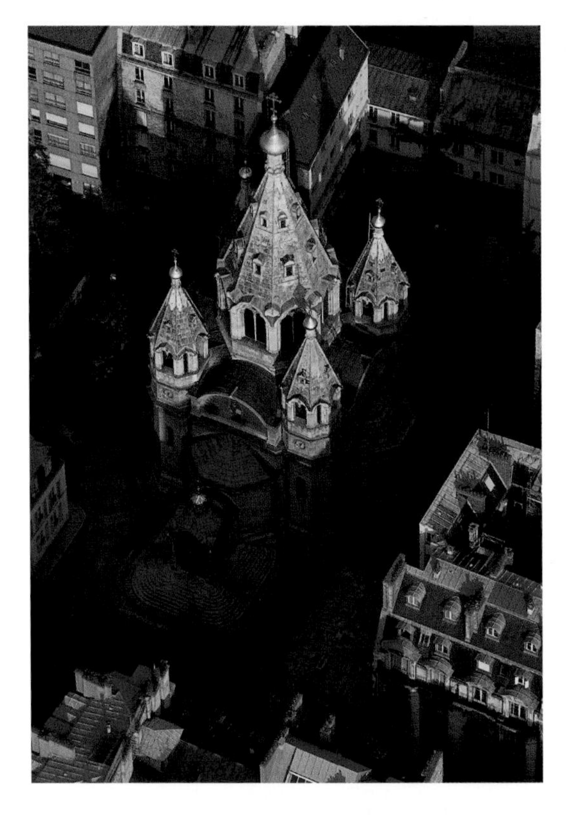

L'église Saint-Augustin
<<

Rue Daru, l'Église russe
<

L'Opéra Garnier
>

SOCIETE GENERALE
TITAN
TITAN
TITAN
LANCEL

Le palais de l'Élysée
<

Le Fouquet's
>

Fouquet's
Fouquet's
Fouquet's
Fouquet's
Fouquet's

La villa Montmorency

Le Trocadéro

Paris populaire *Working Class Paris*

X^{e}, XIe, XIIe, XVIIIe, XIXe, XXe arrondissements

Le quart nord-est demeure le secteur le plus populaire de la capitale. Souvent construits sur des terrains accidentés, composés en partie de villages rattachés à Paris en 1861, les quartiers y gardent une individualité plus marquée qu'ailleurs. Ce Paris populaire pèsera très lourd dans l'histoire politique et intellectuelle de la France.

The north-eastern quarter of the city still retains much of its working class character. Built, to large extent, on hilly terrain, some of which was only added to the capital in 1861, the diverse quartiers of this area have an individual charm which distinguishes them from the rest of the city . North-eastern Paris has played an important role in French art and politics over the centuries.

Butte Montmartre,
le Sacré-Cœur

Butte Montmartre

La Rotonde de Ledoux, place Stalingrad

Un quartier, rue Marcadet
<<

Cimetière du Père-Lachaise
<

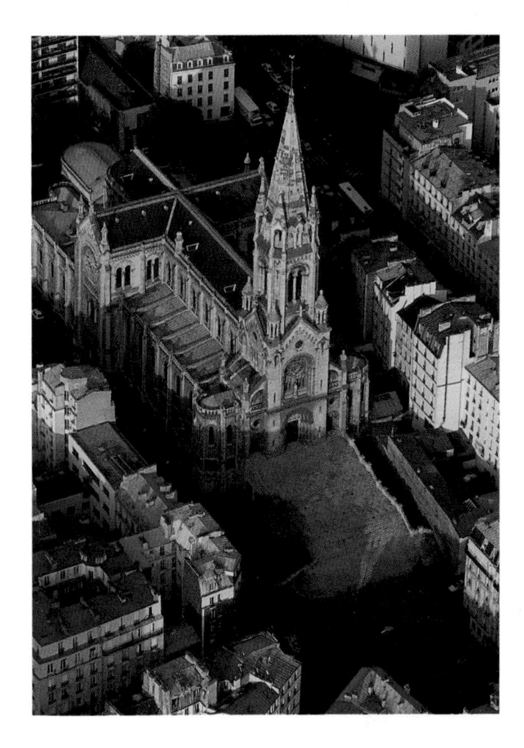

La place de la Nation
<

Les Buttes-Chaumont

L'église Notre-Dame-de-la-Croix à Ménilmontant

La foire du Trône
<

Gare de Lyon
>

setec

Place de la Bastille,
la Colonne de Juillet
<

Place de la République
>

Paris d'aujourd'hui *Paris today*

Au début des années 1960, Paris n'avait guère changé depuis la Première Guerre mondiale et sa population ne cessait de diminuer. Issues de la nécessité, les innovations se multiplièrent : nouveau quartier de la Défense, Centre Pompidou, Opéra de la Bastille, aménagement des Halles, du front de Seine, du Grand Louvre, de la porte de la Villette, de Bercy, la Grande Bibliothèque…

In the early 1960s, Paris remained virtually unchanged since the end of World War I, and its population was falling steadily. In an attempt to reverse this trend an ambitious public works programme was undertaken : the business quarter at la Défense, the Pompidou Centre, the Bastille opera house ; the redevelopment of les Halles and the banks of the Seine, the Louvre, the porte de la Villette and Bercy, among others.

La Défense

La Défense

Le dôme Imax

Cascades et jardins
>

La Grande Arche
>>

ARIANE
EUROPE

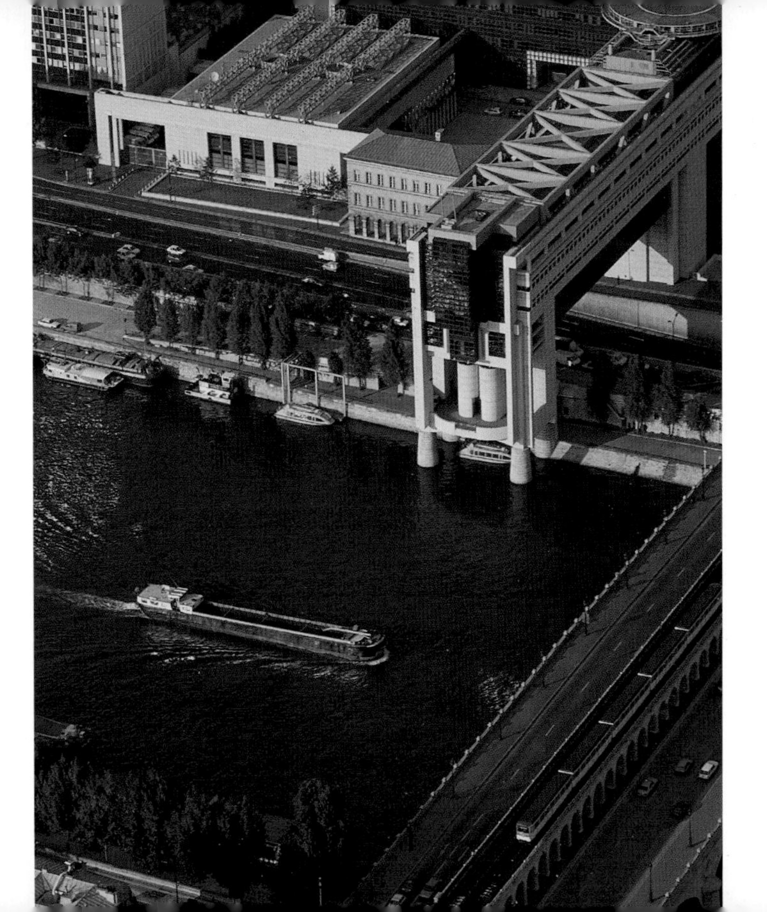

BERCY

Le ministère des Finances
<

Centre commercial
>

pp. 86-87
La Bibliothèque nationale
de France
> >

hotel IBIS
ETAP HOTEL
BERCY 2

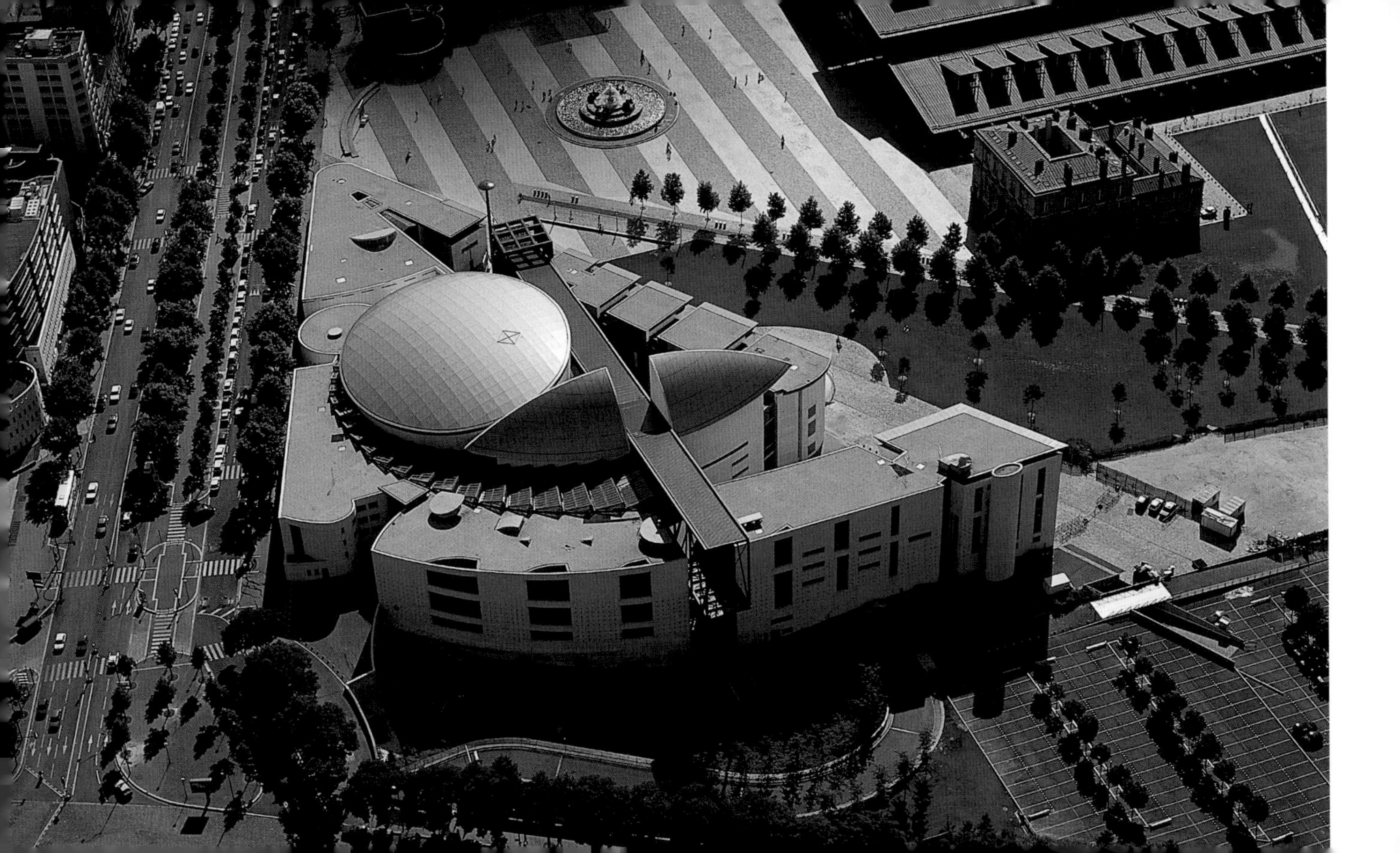

La Villette

p. 88 : la Cité
de la Musique
< < <

p. 89 : la Géode
< <

La Grande Halle
<

La Cité des Sciences
>

Aéroport Roissy-Charles-de-Gaulle
< <

Le Stade de France
>

pp. 94-95 :
Île de la Cité,
île Saint-Louis
> >

CONFORAMA

YANN ARTHUS-BERTRAND REMERCIE

M. BERTRAND LANDRIEU, *Chef de cabinet de M. le Président de la République Jacques Chirac ;*
M. PATRICK MAUGEIN, *du* CFID ;
M. PHILIPPE MASSONI, *Préfet de Police,*
les services de la PRÉFECTURE DE POLICE DE PARIS concernés par la concession des autorisations de survol ;
le ministère de la Défense ; les services efficaces du SIRPA et de l'ECPA ;
le Docteur NICOLE BRU qui a fort aimablement mis son hélicoptère à ma disposition ;
FRANCK ARRESTIER et ALEXANDRE ANTUNÈS, *pilotes de la société* MONTBLANC HÉLICOPTÈRES
avec lesquels nous avons effectué la majorité des vols ;
ANTOINE DE MARSILY et FRANCIS COZ *de la société* HÉLI-UNION ;
mes fidèles assistants, FRANÇOISE JACQUOT, FRANCK CHAREL et CHRISTOPHE DAGUET ;
ainsi que toute l'équipe de LA TERRE VUE DU CIEL - ALTITUDE :
HÉLÈNE DE BONIS, *coordinatrice de production,* ISABELLE LECHENET, *responsable des archives,*
FLORENCE FRUTOSO, *documentaliste.*

Les prises de vue de ce livre ont été réalisées avec du matériel
CANON EOS 1N. PENTAX 645N et des films FUJI Velvia.
Photos distribuées par LA TERRE VUE DU CIEL - ALTITUDE,
30, rue des Favorites - 75015 Paris. Fax : 01 45 33 55 21

Responsable éditoriale : COLETTE VÉRON
Responsable artistique : NANCY DORKING
Maquette : PASCALE COMTE

Imprimé en Espagne par Estella Graficas
Dépôt légal : janvier 2012
ISBN : 978-2-84277-404-2
34/1566/8-14